4395 0186

露西兒

露西兒

文·圖／阿諾·羅北兒
譯／楊茂秀

羅北兒故事集 3

遠流出版公司

LUCILLE
Written and illustrated by Arnold Lobel
Copyright ©1964 by Arnold Lobel
Copyright renewed 1992 by Arnold Lobel
Chinese translation copyright ©1997 by Yuan-Liou Publishing Co., Ltd.
Published by arrangement with HarperCollins Children's Books
through Bardon-Chinese Media Agency

這_{ㄓㄜˋ}是_{ㄕˋ}露_{ㄌㄨˋ}西_{ㄒㄧ}兒_ㄦ。

露_{ㄌㄨ}西_{ㄒㄧ}兒_ㄦ是_ㄕ

一_ㄧ個_{ㄍㄜ}農_{ㄋㄨㄥ}夫_{ㄈㄨ}的_{ㄉㄜ}馬_{ㄇㄚ}。

她幫農夫犁田。
她在田裡工作，
非常辛苦。

有_{ㄧㄡˇ}時_{ㄕˊ}，露_{ㄌㄨˋ}西_{ㄒㄧ}兒_ㄦ在_{ㄗㄞˋ}水_{ㄕㄨㄟˇ}灘_{ㄊㄢ}邊_{ㄅㄧㄢ}，
照_{ㄓㄠˋ}見_{ㄐㄧㄢˋ}自_{ㄗˋ}己_{ㄐㄧˇ}。

她覺得難過。

「我又難看又髒。」

露西兒說。

「髒有什麼錯？」

小豬問。

「我是髒的。」

「豬本來就應該髒。」

露西兒說：

「我不喜歡髒。」

這是農夫的太太。

她坐在屋子裡。

她㄄喝ㄍ茶ㄔ，　而ㄦˊ且ㄑㄝˇ，
聽㄄收ㄕ音ㄈ機ㄐ。

農ㄋㄨㄥˊ夫ㄈㄨ的ㄉㄜ太ㄊㄞˋ太ㄊㄞˋ喜ㄒㄧˇ歡ㄏㄨㄢ露ㄌㄨˋ西ㄒㄧ兒ㄦ。

「露ㄌㄨˋ西ㄒㄧ兒ㄦ是ㄕˋ一ㄧ匹ㄆㄧ好ㄏㄠˇ馬ㄇㄚˇ，」

農ㄋㄨㄥˊ夫ㄈㄨ的ㄉㄜ太ㄊㄞˋ太ㄊㄞˋ對ㄉㄨㄟˋ農ㄋㄨㄥˊ夫ㄈㄨ說ㄕㄨㄛ：

「但ㄉㄢˋ是ㄕˋ，她ㄊㄚ又ㄧㄡˋ醜ㄔㄡˇ又ㄧㄡˋ髒ㄗㄤ。」

有一天，農夫的太太
來看露西兒。
「明天，我們去
鎮上買東西。」她說。

23

露_{ㄌㄨ}西_{ㄒㄧ}兒_ㄦ載_{ㄗㄞ}農_{ㄋㄨㄥ}夫_{ㄈㄨ}

和_{ㄏㄜ}他_{ㄊㄚ}的_{ㄉㄜ}太_{ㄊㄞ}太_{ㄊㄞ}到_{ㄉㄠ}鎮_{ㄓㄣ}上_{ㄕㄤ}去_{ㄑㄩ}。

在_{ㄗㄞˋ}櫥_{ㄔㄨˊ}窗_{ㄔㄨㄤ}裡_{ㄌㄧˇ}，

她_{ㄊㄚ}看_{ㄎㄢˋ}到_{ㄉㄠˋ}一_ㄧ頂_{ㄉㄧㄥˇ}帽_{ㄇㄠˋ}子_{ㄗ˙}，帽_{ㄇㄠˋ}子_{ㄗ˙}上_{ㄕㄤˋ}

裝_{ㄓㄨㄤ}飾_{ㄕˋ}著_{ㄓㄜ˙}粉_{ㄈㄣˇ}紅_{ㄏㄨㄥˊ}色_{ㄙㄜˋ}的_{ㄉㄜ˙}玫_{ㄇㄟˊ}瑰_{ㄍㄨㄟˋ}花_{ㄏㄨㄚ}。

農ㄋㄨㄥ夫ㄈㄨ的ㄉㄜ太ㄊㄞ太ㄊㄞ

買ㄇㄞ下ㄒㄧㄚ那ㄋㄚ頂ㄉㄧㄥ帽ㄇㄠ子ㄗ，

給ㄍㄟ露ㄌㄨ西ㄒㄧ兒ㄦ。

在ㄗㄞˋ櫥ㄔㄨˊ窗ㄔㄨㄤ裡ㄌㄧˇ，

她ㄊㄚ看ㄎㄢˋ到ㄉㄠˋ很ㄏㄣˇ多ㄉㄨㄛ亮ㄌㄧㄤˋ亮ㄌㄧㄤˋ的ㄉㄜ鞋ㄒㄧㄝˊ子ㄗˇ。

28

農ㄋㄨㄥˊ夫ㄈㄨ的ㄉㄜ˙太ㄊㄞˋ太ㄊㄞˋ

買ㄇㄞˇ了ㄌㄜ˙四ㄙˋ隻ㄓ鞋ㄒㄧㄝˊ子ㄗ˙

給ㄍㄟˇ露ㄌㄨˋ西ㄒㄧ兒ㄦˊ。

在_{ㄗㄞˋ}櫥_{ㄔㄨˊ}窗_{ㄔㄨㄤ}裡_{ㄌㄧˇ}，

她_{ㄊㄚ}看_{ㄎㄢˋ}見_{ㄐㄧㄢˋ}一_ㄧ套_{ㄊㄠˋ}美_{ㄇㄟˇ}麗_{ㄌㄧˋ}的_{ㄉㄜ˙}白_{ㄅㄞˊ}紗_{ㄕㄚ}禮_{ㄌㄧˇ}服_{ㄈㄨˊ}。

農_{ㄋㄨㄥ}夫_{ㄈㄨ}的_{ㄉㄜ}太_{ㄊㄞ}太_{ㄊㄞ}

買_{ㄇㄞ}下_{ㄒㄧㄚ}那_{ㄋㄚ}套_{ㄊㄠ}禮_{ㄌㄧ}服_{ㄈㄨ}

給_{ㄍㄟ}露_{ㄌㄨ}西_{ㄒㄧ}兒_ㄦ。

「你看露西兒，」

農夫的太太說：

「她多麼高貴啊！」

「不錯，」農夫悲傷的說：
「她太高貴了，
不適合幫我犁田。」

小豬看見露西兒
從路上走過來。
「你身上穿的
是什麼東西?」他說。

「這些是新衣服。

現在，我是一個貴婦，

請閃一邊，別擋路。」

露西兒哼道。

現在，露西兒
不在田裡工作了。
她坐在房屋裡，
戴著帽子，穿上鞋子，
而且套上禮服。
她和農夫的太太
在一起喝茶，
聽收音機。

帽子上粉紅色的玫瑰花
使她癢。
亮亮的鞋子使她的腳痛，
那美麗的白紗禮服
穿著好熱。
露西兒真是希望自己在外面
跟農夫一塊工作。

「今天，我們要舉辦一個
宴會。」農夫的太太說。

「所ㄙㄨㄛˇ有ㄧㄡˇ的ㄉㄜ˙夫ㄈㄨ人ㄖㄣˊ

都ㄉㄡ要ㄧㄠ來ㄌㄞˊ見ㄐㄧㄢˋ你ㄋㄧˇ，露ㄌㄨˋ西ㄒㄧ兒ㄦˊ。」

過了一下子，就有些夫人來見露西兒。

來看露西兒的夫人
愈來愈多。
「你看，她多可愛啊！」
她們說。

有一位夫人帶花給露西兒，

「謝謝你。」露西兒說。

說完，她把花給吃掉。

「露西兒！」農夫的太太

叫道：「貴夫人是不吃花的，

她們只聞花。」

47

不久，

房間裡擁擠起來了。

所有的夫人都在喝茶、

吃餅乾。

她ㄊㄚ們ㄇㄣ大ㄉㄚ聲ㄕㄥ説ㄕㄨㄛ話ㄏㄨㄚ。

她ㄊㄚ們ㄇㄣ使ㄕ露ㄌㄨ西ㄒㄧ兒ㄦ緊ㄐㄧㄣ張ㄓㄤ。

露ㄌㄨˋ西ㄒㄧ兒ㄦˊ踩ㄘㄞˇ到ㄉㄠˋ
自ㄗˋ己ㄐㄧˇ美ㄇㄟˇ麗ㄌㄧˋ的ㄉㄜ˙白ㄅㄞˊ紗ㄕㄚ禮ㄌㄧˇ服ㄈㄨˊ，
而ㄦˊ且ㄑㄧㄝˇ撕ㄙ破ㄆㄛˋ了ㄌㄜ˙。

她撞到一位夫人，
而且把她踢倒。

「對_{ㄉㄨㄟ}不_{ㄅㄨ}起_{ㄑㄧ}。」露_{ㄌㄨ}西_{ㄒㄧ}兒_ㄦ說_{ㄕㄨㄛ}。

可_{ㄎㄜ}是_ㄕ， 她_{ㄊㄚ}又_{ㄧㄡ}再_{ㄗㄞ}

踢_{ㄊㄧ}倒_{ㄉㄠ}兩_{ㄌㄧㄤ}位_{ㄨㄟ}夫_{ㄈㄨ}人_{ㄖㄣ}。

露西兒的帽子

落下來蓋住她的眼睛。

她打破茶壺，

她弄翻餅乾，四散一地。

「救命呀！救命呀！」

夫人們哭叫。

「露西兒，你不像是個

貴婦人的樣子！」

農夫的太太大叫。

「我ㄨㄛˇ不ㄅㄨˊ是ㄕˋ
貴ㄍㄨㄟˋ婦ㄈㄨˋ人ㄖㄣˊ，」
露ㄌㄨˋ西ㄒㄧ兒ㄦˊ哭ㄎㄨ道ㄉㄠˋ：
「我ㄨㄛˇ是ㄕˋ馬ㄇㄚˇ！」

她_{ㄊㄚ}又_{ㄧㄡˋ}踢_{ㄊㄧ}倒_{ㄉㄠˇ}

五_{ㄨˇ}個_{ㄍㄜˋ}夫_{ㄈㄨ}人_{ㄖㄣˊ}，

接_{ㄐㄧㄝ}著_{·ㄓㄜ}，她_{ㄊㄚ}奔_{ㄅㄣ}出_{ㄔㄨ}房_{ㄈㄤˊ}屋_ㄨ。

露_{ㄌㄨ}西_{ㄒㄧ}兒_ㄦ一_ㄧ直_ㄓ跑_{ㄆㄠ}、 一_ㄧ直_ㄓ跑_{ㄆㄠ}。

她_{ㄊㄚ}跑_{ㄆㄠˇ}到_{ㄉㄠˋ}田_{ㄊㄧㄢˊ}裡_{ㄌㄧˇ}去_{ㄑㄩˋ}。

她ㄊㄚ親ㄑㄧㄣ吻ㄨㄣ農ㄋㄨㄥ夫ㄈㄨ，因ㄧㄣ為ㄨㄟ
她ㄊㄚ很ㄏㄣ高ㄍㄠ興ㄒㄧㄥ再ㄗㄞ見ㄐㄧㄢ到ㄉㄠ他ㄊㄚ。

60

她親吻小豬，
因為他髒髒的。

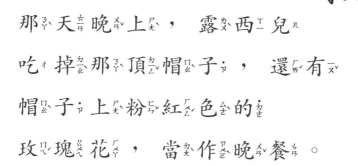

那天晚上，露西兒
吃掉那頂帽子，還有
帽子上粉紅色的
玫瑰花，當作晚餐。
「我很高興做一匹
平凡、幸福的馬。」
她說。

說_{ㄕㄨㄛ}完_{ㄨㄢ}，她_{ㄊㄚ}就_{ㄐㄧㄡ}去_{ㄑㄩ}睡_{ㄕㄨㄟ}覺_{ㄐㄧㄠ}了_{ㄌㄜ}。

LUCILLE

《露西兒》英文原文

This is Lucille.

Lucille belongs
to a farmer.

She pulls the farmer's plow
and works very hard
in the fields.

Sometimes Lucille sees herself
in a puddle.

It makes her sad.
"I am dull and dirty,"
says Lucille.

"What is wrong with being dirty?"
asks a small pig.
"I am dirty."

"Pigs are supposed to be
dirty," says Lucille.
"I'm tired of it."

This is the farmer's wife.
She sits in the house.

She drinks tea
and listens to the radio.

The farmer's wife likes Lucille.
"Lucille is a nice horse,"
says the farmer's wife
to the farmer.
"But she is dull and dirty."

One day the farmer's wife
comes to Lucille.
"Tomorrow we are going
shopping in town,"
she says.

Lucille takes the farmer
and his wife to town.

She sees a hat
with pink roses
in a store window.

The farmer's wife
buys the hat
for Lucille.

She sees many shiny shoes
in a store window.

The farmer's wife
buys four shiny shoes
for Lucille.

She sees a beautiful white dress
in a store window.

The farmer's wife
buys the dress
for Lucille.

"Look at Lucille,"
says the farmer's wife.
"Isn't she grand?"

"Yes," says the farmer sadly.
"She is too grand
to help me plow my fields."

The small pig
sees Lucille
coming down the road.
"What's all that stuff
you have on?" he says.

"These are my new clothes
and now I'm a lady,
so get out of my way,"
snorts Lucille.

Now Lucille does not work
in the fields.
She sits in the house
in her hat, in her shoes,
and in her dress.
She drinks tea
and listens to the radio
with the farmer's wife.

The pink roses on Lucille's hat
tickle her,
the shiny shoes hurt her feet,
and her beautiful white dress
makes her hot.
Lucille wishes she were outside
working with the farmer.

"Today we are having a party,"
says the farmer's wife.

"All the ladies
want to meet you, Lucille."

Soon some ladies
come to meet Lucille.

More and more ladies
come to meet Lucille.
"Isn't she lovely,"
they say.

One lady brings Lucille flowers.
"Thank you," says Lucille,
and she eats them.
"Lucille!" calls the farmer's wife.
"Ladies do not eat flowers.
They smell them."

Soon the room
is crowded.
All the ladies are drinking tea
and eating cookies.

They are talking very loudly.
They make Lucille nervous.

Lucille steps
on her beautiful white dress
and tears it.

She bumps into a lady
and knocks her down.

"Excuse me," says Lucille,
but she knocks down
two more ladies.

Lucille's hat
falls over her eyes.
She breaks the teapot
and spills the cookies.
"Help, help!" cry the ladies.
"Lucille, you are not
being ladylike!"
shouts the farmer's wife.

"I am not a lady,"
cries Lucille.
"I am a horse!"

She knocks down
five more ladies
and runs out of the house.

Lucille runs and runs.

She runs into the fields.

She kisses the farmer because
she is glad to see him again.

She kisses the pig
because he is dirty.

That night Lucille
eats the pink roses
and the hat for supper.
"I am glad
to be a plain, happy horse,"
she says.

And then she goes to sleep.

作者介紹

　　阿諾‧羅北兒（Arnold Lobel）是當代最尊重兒童智慧的作家，他的作品除了溫馨，帶點茶香的趣味之外，對於傳統被認爲是高層次思考才能接觸的哲學論題，例如：勇氣、意志力、友誼的本質、恐懼、智慧等，都能夠用具體的影像，說閒話的語氣，數落出來，讓讀者常常會發出「啊！」的感嘆。

　　阿諾‧羅北兒的作品，每一篇都可以作爲兒童哲學的教材。

　　他1933年5月29日生，1987年12月4日離開這個世界。他離開這個世界時，在紐約時報登了一則啓事，大意是說：「如果你想念我，請不要設立什麼基金會、獎學金、紀念碑之類的，請你看我的書，因爲我就在裡面。」

　　羅北兒是出版社最受歡迎的人物，不只是因爲他的書暢銷而已，主要的是聽說不管是寫作或做插畫，他的稿子都非常的乾淨俐落。他是一個非常好合作的人。

　　羅北兒曾經說，創作對他而言非常不容易，但是想到每天在這世界上，都有人坐在那裡讀他的書，欣賞他的故事，他就非常的高興，他愛爲小孩做書。

譯者介紹

　　楊茂秀，毛毛蟲兒童哲學基金會創辦人。

　　矮矮的個子，長長鬈鬈的頭髮有五分之一是白的。外號「歐巴桑」，其實是個男的。1944年生。已婚，有個女兒。求學過程一直不算順利，初一時留級過一次，博士論文寫了好幾遍才通過。一生好讀雜書。

　　曾任教美國蒙特克萊爾大學兒童哲學促進中心（IAPC）、輔大及清大，教授心理與哲學、美學、兒童哲學、兒童文學與思考實驗、父母學等。現任教國立台東師院語文教育系。

　　喜歡寫故事、說故事、和朋友走山看海。

露西兒　　　　　　　　　　　　　　　　　　　　　　　　羅北兒故事集〈3〉

策　　劃／楊茂秀　　　　　　**副總編輯**／黃盛璘　　　　　　**美術主編**／官月淑

　　　　　　　　　　　　　　　執行編輯／張詩薇　　　　　　**資深美編**／陳春惠

譯　　者／楊茂秀

發 行 人／王榮文

出版發行／遠流出版事業股份有限公司　　　台北市南昌路2段81號6樓

　　　　　　郵撥：0189456-1　　　電話：(02)2392-6899　　　傳眞：(02)2392-6658

著作權顧問／蕭雄淋律師　　　　**法律顧問**／董安丹律師

印　　刷／中原造像股份有限公司　　　　**裝　　訂**／中原造像股份有限公司

□1997年1月25日　初版一刷　□2010年3月26日　初版十二刷　（缺頁或破損的書，請寄回更換）

行政院新聞局局版臺業字第1295號　版權所有·翻印必究　Printed in Taiwan

YLib 遠流博識網 http://www.ylib.com　E-mail:ylib@ylib.com

ISBN 957-32-3061-5　　　　　　　　　　　　　　　　　　　　定價280元